To my sweet Mina. Lover of unicorns and ice cream.

For a FREE audio reading and other bilingual books visit:

www.minalearnschinese.com

Follow us

@minalearnschinese

Also available in Simplified Chinese!
ISBN: 978-1-7339671-3-6
Library of Congress Control Number: 2020912398

今天是我第一次來嘉年華！這裡是什麼樣的呢？

Jīn tiān shì wǒ dì yī cì lái jiā nián huá! Zhè lǐ shì shén me yàng de ne?

Today is my first time at a carnival! I wonder what it would be like?

Wǒ hěn hào qí!

我 很 **好奇** ！

I'm feeling curious!

Kàn kàn dì tú ba.　Wa,　　yǒu zhè me duō hǎo wán de!　　Wǒ hěn xīng fèn!

看看地圖吧。哇，有這麼多好玩的！我很興奮！

Let's look at the map. Wow, so many fun things to do! I'm really excited!

GAMES

啊！這個太高了！我好害怕！

A! Zhè ge tài gāo le! Wǒ hǎo hài pà!

Ah! That looks too high! I'm so scared!

Mǐ nà, wǒ zhī dào nǐ yǒu diǎn jǐn zhāng, Dàn shì bù yào dān xīn.

米娜，我知道你有點緊張，但是不要擔心。

Mina, I know you're feeling a little nervous, but don't worry.

Huì hěn hǎo wán de!

會很好玩的！

It will be so much fun!

繫上安全帶！媽媽說得對。我可以的！

Time to buckle up! Mommy is right. I can do this!

我很**勇敢**。

I'm feeling brave.

Kuài kàn wǒ!　　Wǒ zài gāo gāo de tiān shàng fēi ne!　　Zhēn cì jī!

快看我！我在高高的天上飛呢！真刺激！

Look at me! I'm flying so high in the sky! It's thrilling!

Wǒ zhǔn bèi hǎo qù shì shì guò shān chē le!

我準備好去試試過山車了！

I'm ready to try the big roller coaster now!

Wǒ hěn yǒu xìn xīn!

我很有信心！

I'm feeling confident!

Dàn shì wǒ tài ǎi le!

但是我太矮了！

But I'm too short!

YOU MUST BE
THIS TALL
TO ENTER

YOU MUST BE **THIS TALL** TO ENTER

Wǒ hǎo xiǎng wán guò shān chē o! Wǒ hěn shāng xīn!

我好想玩過山車哦！我很傷心！

I really wanted to ride the roller coaster! I feel so heartbroken!

Bú yào kū. Nǐ měi tiān dōu zài zhǎng gāo ne!
不要哭。你每天都在長高呢！

Yào bú yào shì shì xuán zhuǎn mù mǎ?
要不要試試旋轉木馬？

Don't cry. You're growing every day! How about we try the carousel?

TICKETS
1 🎟 = $1

S

Wǒ běn lái xiǎng qí cháng jǐng lù,

我本來想騎長頸鹿，

I wanted to ride the giraffe,

dàn shì yǐ jīng yǒu rén le!

但是已經有人了!

but it's already taken!

Wǒ hěn shī wàng!

我很失望！

I'm so disappointed!

Děng děng, nà shì yī zhī dú jiǎo shòu ma?

等等，那是一隻獨角獸嗎？

Wait, is that a unicorn?

Zhè lǐ jū rán yǒu wǒ zuì ài de dòng wù!

這裡居然有我最愛的動物！

I can't believe they have my favorite animal!

Wǒ hěn chī jīng!

我很吃驚！

I'm so surprised!

Yè!　　Tài bàng le,　　wǒ fēi cháng kāi xīn!

耶！太棒了，我非常開心！

Yay! This is awesome, I'm so happy!

Bīng qí lín, bǐ sà, mián huā táng

冰淇淋、比薩、棉花糖、

rè gǒu, jiāo táng píng guǒ, bào mǐ huā,

熱狗、焦糖蘋果、爆米花、

hé níng méng zhī! Wǒ bù zhī dào gāi chī

和檸檬汁！ 我不知道該吃

nǎ yī gè! Wǒ hǎo jiū jié.

哪 一 個 ！ 我 好 糾結。

Ice cream, pizza, cotton candy, hot dogs, candy apples, popcorn and lemonade! I can't decide what to eat! I'm so confused.

我**餓**了！真好吃！我們吃完飯可以去寵物樂園嗎？

I'm hungry! Yummy! Can we visit the petting zoo after lunch?

Zhè xiē hào chī de dōng xī kě bú
這些好吃的東西可不
shì měi tiān dōu néng chī dào de!
是每天都能吃到的！

*It's not every day that I get to
eat these special treats.*

Wǒ zhēn xìng yùn!
我真幸運！

I'm so lucky!

嘿！那隻山羊撞翻了我的冰淇淋！

Hēi! Nà zhǐ shān yáng zhuàng fān le wǒ de bīng qí lín!

Hey! The goat knocked over my ice cream!

Zhēn tǎo yàn! Wǒ hěn shēng qì!

真討厭！ 我很生氣！

So annoying! I'm so angry!

PETTING ZOO

Zhè ge yóu xì de jiǎng pǐn lǐ yǒu hěn kù de wū guī wá wá!

這個遊戲的獎品裡有很酷的烏龜娃娃！

Xī wàng wǒ kě yǐ yíng yī zhī!

希望我可以贏一隻！

This game has a cool turtle toy! I hope I can win one!

Wǒ méi dǎ zhòng! Tài nán le!

我沒打中！太難了！

Wǒ hǎo nán guò!

我好難過！

I missed it! It's too hard! I'm so sad!

Wǒ zhī dào nǐ yǒu xiē jǔ sàng, bú guò nǐ hái yǒu yí cì jī huì ne. Jiā yóu!

我知道你有些沮喪，不過你還有一次機會呢。加油！

I know you're feeling frustrated, but you still have another chance. You got this!

Hǎo de! Zhè cì wǒ huì gèng nǔ lì de miáo zhǔn. Wǒ xià dìng jué xīn le!

好的！這次我會更努力地瞄準。我下定決心了。

Okay! I'll concentrate harder this time. I'm determined.

Wǒ zuò dào le!

我做到了！

I did it!

Wǒ yíng le dà jiǎng!

我贏了大獎！

Wǒ wèi zì jǐ gǎn dào jiāo ào!

我為自己感到驕傲！

I won a big prize! I'm feeling so proud of myself!

Yí gè dú jiǎo shòu qì qiú!
一個獨角獸氣球！
Bà ba mā ma xiè xiè nǐ men!
爸爸媽媽謝謝你們！
Jīn tiān zhēn shi tài wán měi le!
今天真是太完美了！
Wǒ hěn gǎn jī!
我很感激！

A unicorn balloon! Daddy, Mommy, thank you!
This is the best day ever! I feel grateful!

www.ingramcontent.com/pod-product-compliance
Lightning Source LLC
Chambersburg PA
CBHW042147240326
41723CB00014B/615